合唱で歌いたい！ J-POP コーラスピース

## 混声3部合唱

# 楓

作詞・作曲：草野正宗　　合唱編曲：田中和音

＊この楽譜は、旧商品『楓〔混声3部合唱〕』（品番：EMG3-0135、EME-C3105）とアレンジ内容に変更はありません。

# 楓

作詞・作曲：草野正宗　　合唱編曲：田中和音

わ　す―れは―　　し　な―いよ―　　と　き―がな―がれて　も―

Elevato Music
EMG3-0260

Elevato Music
EMG3-0260

Elevato Music
EMG3-0260

Elevato Music
EMG3-0260

-5-

Elevato Music
EMG3-0260

- 6 -

Elevato Music
EMG3-0260

# 楓

作詞：草野正宗

忘れはしないよ　時が流れても
いたずらなやりとりや
心のトゲさえも　君が笑えばもう
小さく丸くなっていたこと

かわるがわるのぞいた穴から
何を見てたかなぁ？
一人きりじゃ叶えられない
夢もあったけれど

さよなら　君の声を　抱いて歩いていく
ああ　僕のままで　どこまで届くだろう

探していたのさ　君と会う日まで
今じゃ懐かしい言葉
ガラスの向こうには　水玉の雲が
散らかっていた　あの日まで

風が吹いて飛ばされそうな
軽いタマシイで
他人と同じような幸せを
信じていたのに

これから　傷ついたり　誰か　傷つけても
ああ　僕のままで　どこまで届くだろう

瞬きするほど長い季節が来て
呼び合う名前がこだまし始める
聴こえる？

さよなら　君の声を　抱いて歩いていく
ああ　僕のままで　どこまで届くだろう

ああ　君の声を　抱いて歩いていく
ああ　僕のままで　どこまで届くだろう
どこまで届くだろう

ELEVATO
MUSIC ENTERTAINMENT

## ご注文について

楽譜のご注文はウィンズスコア、エレヴァートミュージックのWEBサイト、または全国の楽器店ならびに書店にて。

### ●ウィンズスコアWEBサイト
**吹奏楽譜／アンサンブル楽譜／ソロ楽譜**

winds-score.com
左側のQRコードより
WEBサイトへアクセスし
ご注文ください。

ご注文方法に関しての
詳細はこちら▶

### ●エレヴァートミュージックWEBサイト
**ウィンズスコアが展開する合唱・器楽系楽譜の専門レーベル**

elevato-music.com
左側のQRコードより
WEBサイトへアクセスし
ご注文ください。

ご注文方法に関しての
詳細はこちら▶

## TEL:0120-713-771 FAX:03-6809-0594
（ウィンズスコア、エレヴァートミュージック共通）

LOVE THE ORIGINAL
楽譜のコピーはやめましょう